2022 年冬奥会将在场馆内诞生金牌

14 枚

2022 年冬奥会开幕时间

2 月 **4** 日

制冰产生的余热再利用

一年节约 **200 万** 度电

场馆可持续运营

25 年以上

亚洲最大冰面

约 **12000** 平方米

冰板制冷盘管

总长约 **120** 千米

22 条"丝带"连起来

总长约 **13800** 米

每 **1** 米安装 LED 照明灯泡

约 **90** 个

曲面幕墙

铺设 **3360** 块玻璃

致　谢

　　谨在本书出版之际，向北京 2022 年冬奥会国家速滑馆（冰丝带）、国家游泳中心冰壶赛场（冰立方）设计总负责人**郑方老师**致以诚挚的谢意，感谢郑老师不辞辛苦为本书提出专业指导意见，在百忙之中给予原创科学绘本大力支持！

作者简介

郭雪婷　天津大学建筑学硕士，就职于中科院建筑设计研究院，热衷于建筑科普事业，致力于让孩子通过建筑看到更宽广的世界。译作有《大学与城市》。

王万丛　资深插画师，微博名为 HXH46，热爱插画和绘本创作，曾获 2017 中华文创力量产品先锋人物大奖和优秀产品大奖，致力于用生动而准确的图画语言让孩子了解科学世界。

图书在版编目（CIP）数据

冬奥场馆来了！/ 郭雪婷著；王万丛绘. —北京：北京科学技术出版社，2022.1 （2022.3重印）
ISBN 978-7-5714-1585-3

Ⅰ.①冬… Ⅱ.①郭… ②王… Ⅲ.①冬季奥运会–体育建筑–建筑设计–北京–儿童读物 Ⅳ.① TU245.4-49

中国版本图书馆 CIP 数据核字（2021）第 232900 号

策划编辑：刘婧文	电　话：0086-10-66135495（总编室）
责任编辑：张　芳	0086-10-66113227（发行部）
营销编辑：王　为	网　址：www.bkydw.cn
图文制作：天露霖文化	印　刷：北京捷迅佳彩印刷有限公司
责任印制：李　茗	开　本：889 mm×1194 mm　1/16
出 版 人：曾庆宇	字　数：34 千字
出版发行：北京科学技术出版社	印　张：2.75
社　址：北京西直门南大街 16 号	版　次：2022 年 1 月第 1 版
邮政编码：100035	印　次：2022 年 3 月第 3 次印刷
ISBN 978-7-5714-1585-3	

定　　价：58.00 元

冬奥场馆
来了！

冰丝带，就位

郭雪婷◎著　王万丛◎绘

2022 年，第 24 届冬季奥林匹克运动会将在北京举办。
为了迎接冰雪上的比赛，我们开始建设新场馆啦！

北京科学技术出版社

嗨，大家好！
我是国家速滑馆，大家都叫我"冰丝带"。

我在北京奥林匹克森林公园西侧，国家体育场"鸟巢"的西北方向，是2022年冬奥会北京赛区唯一新建的冰上竞赛场馆。冬奥会期间，我将作为速度滑冰项目的比赛场地，见证14枚冬奥会金牌的诞生。

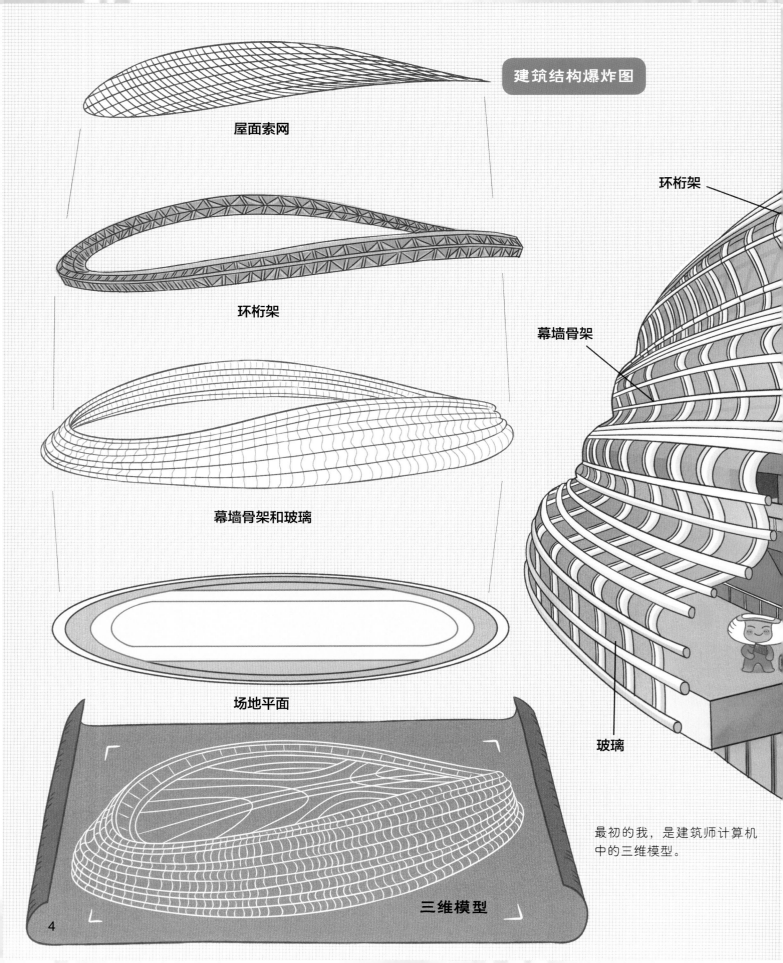

建筑结构爆炸图

屋面索网

环桁架

环桁架

幕墙骨架

幕墙骨架和玻璃

玻璃

场地平面

三维模型

最初的我，是建筑师计算机中的三维模型。

4

速度滑冰是一项激烈的冰上竞速运动，运动员要在周长为400 米的标准速滑赛道上进行比赛。赛道两端是圆弧，中间是两条直线。整个场地像一个光滑的椭圆形。

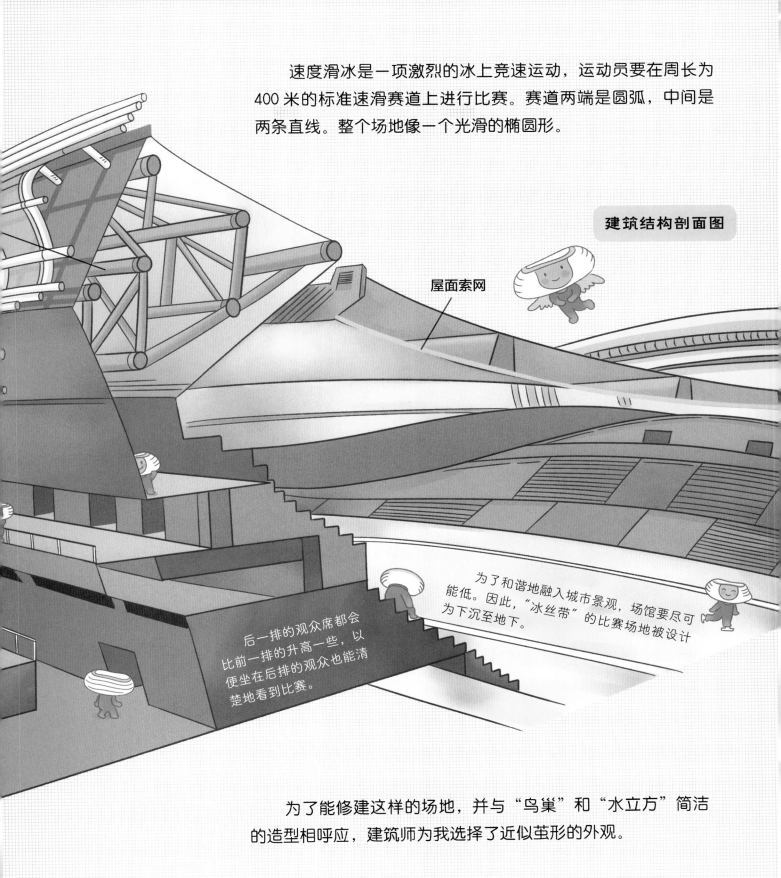

建筑结构剖面图

屋面索网

为了和谐地融入城市景观，场馆要尽可能低。因此，"冰丝带"的比赛场地被设计为下沉至地下。

后一排的观众席都会比前一排的升高一些，以便坐在后排的观众也能清楚地看到比赛。

为了能修建这样的场地，并与"鸟巢"和"水立方"简洁的造型相呼应，建筑师为我选择了近似茧形的外观。

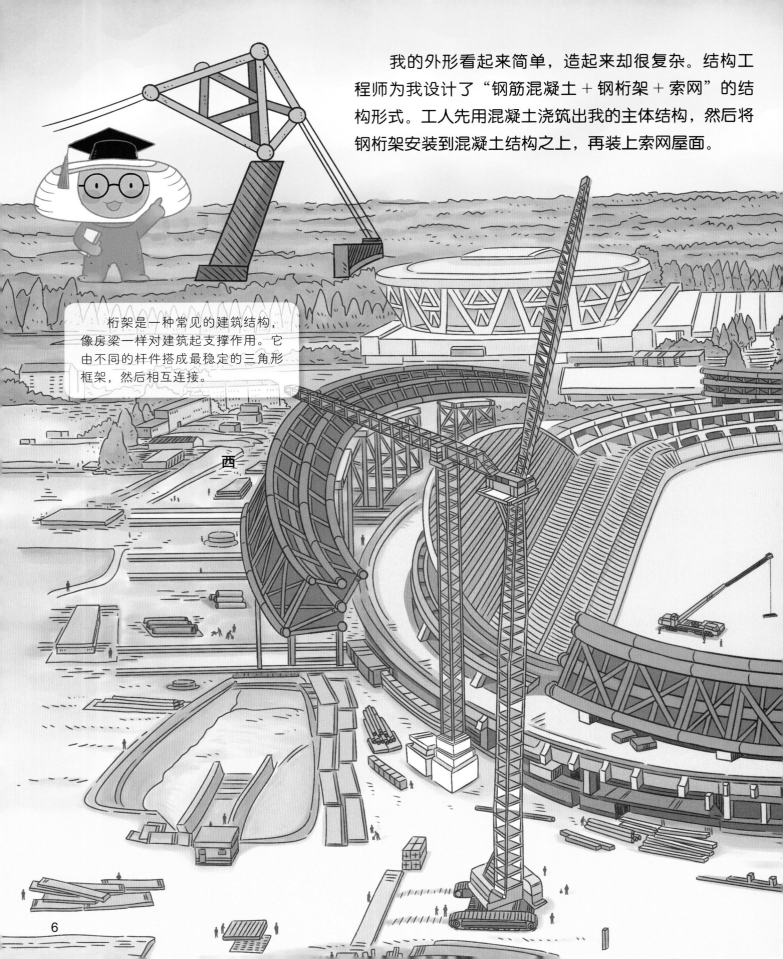

我的外形看起来简单，造起来却很复杂。结构工程师为我设计了"钢筋混凝土＋钢桁架＋索网"的结构形式。工人先用混凝土浇筑出我的主体结构，然后将钢桁架安装到混凝土结构之上，再装上索网屋面。

桁架是一种常见的建筑结构，像房梁一样对建筑起支撑作用。它由不同的杆件搭成最稳定的三角形框架，然后相互连接。

西

因为工期特别紧张，在看台施工的时候，工程师先分别焊接
四个方位的钢桁架，再把安装好的钢桁架合拢成一个巨大的环——
环桁架。

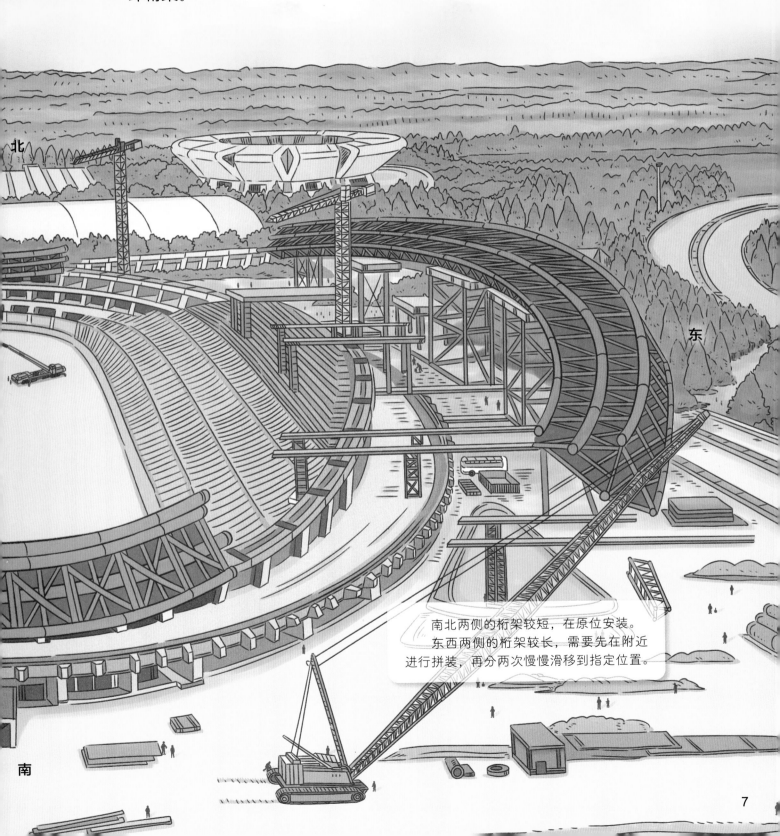

北

东

南北两侧的桁架较短，在原位安装。
东西两侧的桁架较长，需要先在附近
进行拼装，再分两次慢慢滑移到指定位置。

南

我的屋面有目前全世界体育馆里跨度最大的双曲面马鞍形单层索网结构，它就像一张笼罩在场馆顶部的巨网。编织并挂起这么一张巨网可不是一件容易的事。

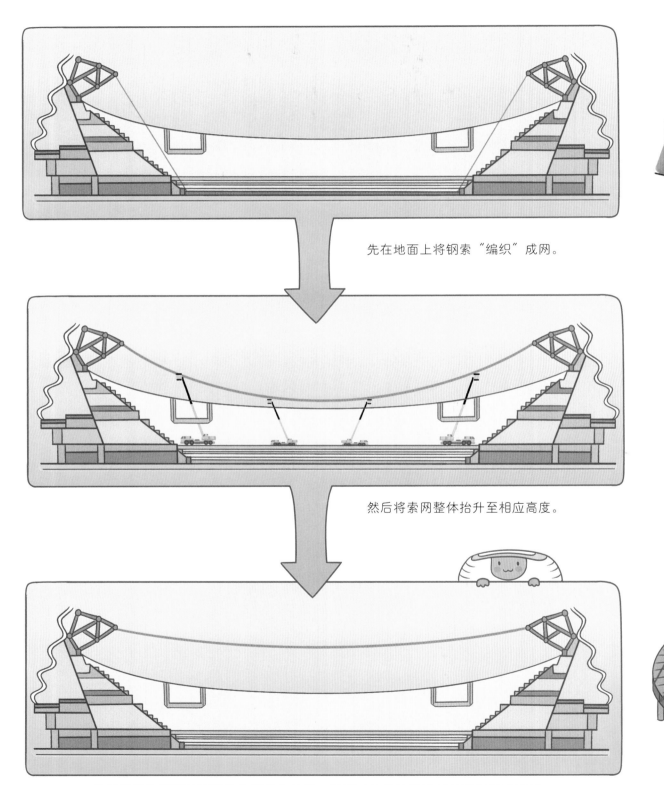

先在地面上将钢索"编织"成网。

然后将索网整体抬升至相应高度。

最后将所有钢索按照设计步骤分步拉紧，柔韧又结实的索网就挂到了场馆顶部。

这可不是一张普通的网，它由柔韧的钢索做"线"编织而成，既有足够的承重力，又有动感的美。

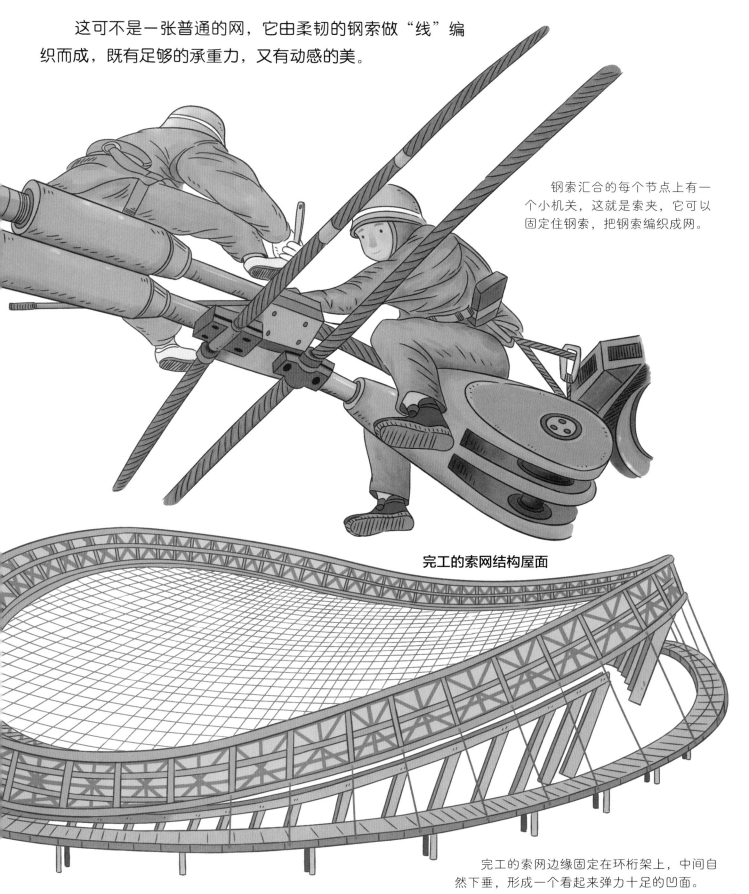

钢索汇合的每个节点上有一个小机关，这就是索夹，它可以固定住钢索，把钢索编织成网。

完工的索网结构屋面

完工的索网边缘固定在环桁架上，中间自然下垂，形成一个看起来弹力十足的凹面。

采用索网屋面可不仅仅是为了漂亮，它在节能方面也帮了大忙。

速度滑冰的比赛场地是一块巨大的冰面，制冰、除湿的能耗都很大，尽量压缩室内空间是最好的节能方法。而索网屋面边缘高、中间低的形状完美对应了看台高、比赛场地低的内部结构，使冰面上的空间尽可能缩小了。

而且，相比普通的钢结构屋面，索网屋面还节省了3/4的用钢量呢！

除了节能，充分利用可再生能源也很重要。"冰丝带"的屋面边缘、桁架上方，有一圈蓝色的太阳能电池板，每年可以发电42万度，相当于200个家庭的年用电量。

建筑所用的材料在节能方面也发挥了很大作用。屋面下方采用了膜结构吊顶，膜的表面镀了一层高亮的铝，这就大大降低了屋面对冰面的热辐射，从而减少了制冰的能耗。

封顶完成后，我就要"穿外套"啦！我之所以被叫作"冰丝带"，和我的外表可是息息相关的。

我的外套，也就是场馆的外幕墙，由 3360 块像冰一样晶莹剔透的玻璃打造而成。幕墙自上而下形成一道道弯曲的"波浪"。

而 22 条"丝带"就在这些"波浪"间起伏，仿佛速滑运动员从冰面滑过后留下的痕迹。这些"丝带"呈管状，由圆管玻璃和金属组合而成，固定在水平排列的幕墙骨架上。管内装有 LED 照明灯泡，到了晚上，这些灯泡将点亮整座场馆。这样的设计使外幕墙的立体感更强了！

露出来的圆管玻璃上有一层特殊的彩釉，就像冰的裂纹，非常好看！

彩釉能够导光，"丝带"中的灯光照到彩釉上，可以展现丝绸般柔和的效果。

外幕墙的曲面是由坚硬的玻璃拼接出来的！这些玻璃中既有外凸和内凹的曲面玻璃，也有平面玻璃。

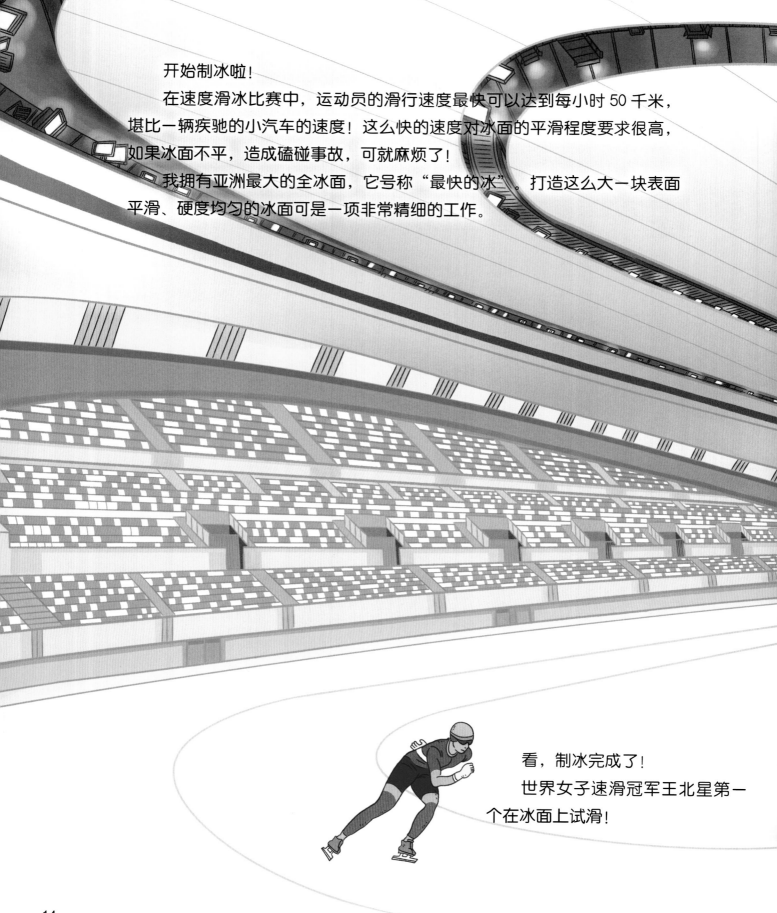

开始制冰啦!

在速度滑冰比赛中,运动员的滑行速度最快可以达到每小时 50 千米,堪比一辆疾驰的小汽车的速度!这么快的速度对冰面的平滑程度要求很高,如果冰面不平,造成磕碰事故,可就麻烦了!

我拥有亚洲最大的全冰面,它号称"最快的冰"。打造这么大一块表面平滑、硬度均匀的冰面可是一项非常精细的工作。

看,制冰完成了!
世界女子速滑冠军王北星第一个在冰面上试滑!

制冰产生的废热还可以用于运动员生活用水和场馆除湿等。

"冰丝带"采用了目前最先进、最环保的二氧化碳跨临界制冷系统。"最快的冰"之下是一层层具有不同功能的建筑材料。它们不仅能使冰面保持平整，还有助于冰面保持温度。

冰面

钢筋混凝土和制冷管

滑动层

细石混凝土

防水卷材

细石混凝土

隔离隔气层

保温层

防潮隔气层

砂层和加热管

钢筋混凝土

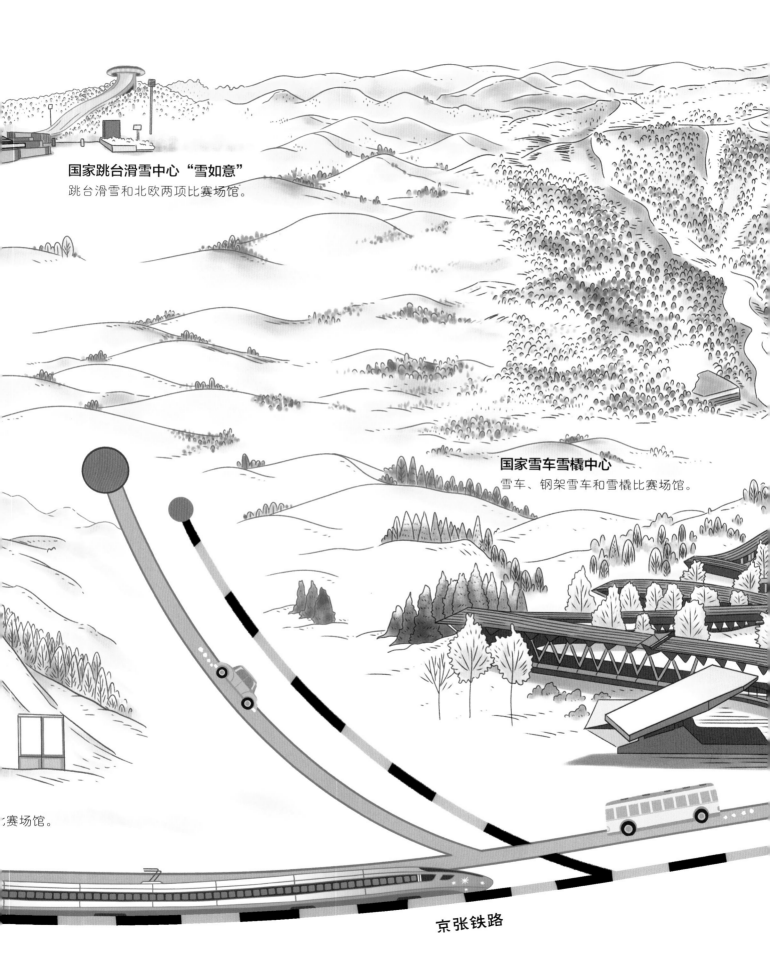

国家跳台滑雪中心"雪如意"
跳台滑雪和北欧两项比赛场馆。

国家雪车雪橇中心
雪车、钢架雪车和雪橇比赛场馆。

…赛场馆。

京张铁路

2022 年冬奥会马上就要举办了。
"冰丝带"等新出生的场馆们，将与"冰立方"
等改造过的前辈们一起迎接冬奥会！

国家冬季两项中心
冬季两项比赛场馆。

国家越野滑雪中心
越野滑雪和北欧两项比赛场馆。

【张家口赛区】

云顶滑雪公园
自由式滑雪和单板滑雪

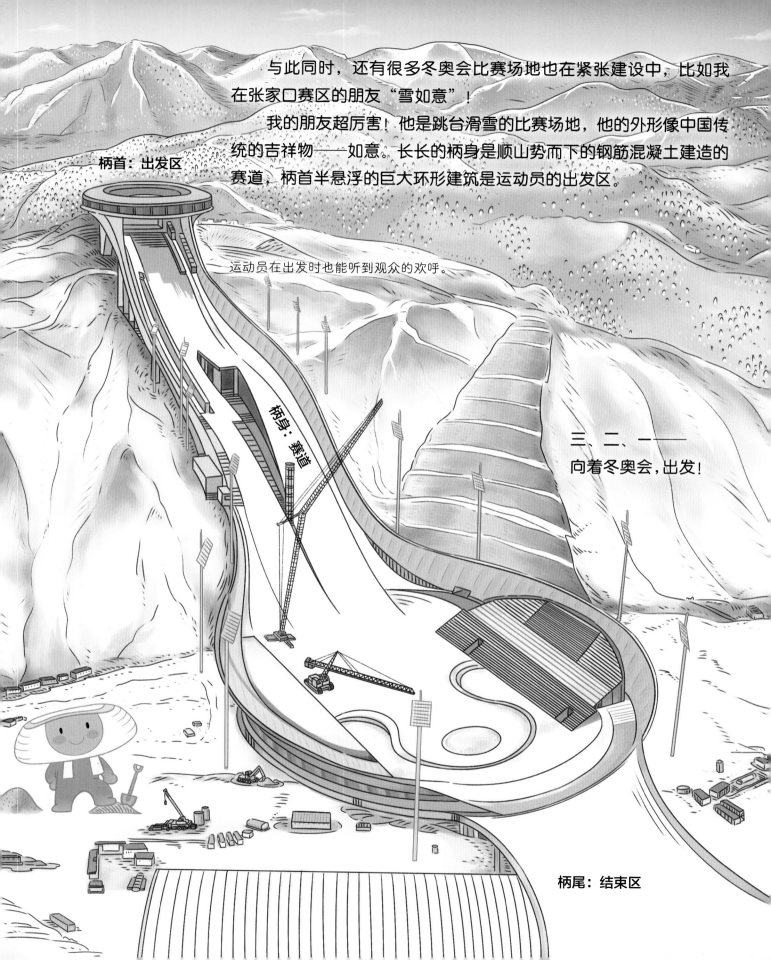

与此同时，还有很多冬奥会比赛场地也在紧张建设中，比如我在张家口赛区的朋友"雪如意"！

我的朋友超厉害！他是跳台滑雪的比赛场地，他的外形像中国传统的吉祥物——如意。长长的柄身是顺山势而下的钢筋混凝土建造的赛道，柄首半悬浮的巨大环形建筑是运动员的出发区。

柄首：出发区

运动员在出发时也能听到观众的欢呼。

柄身：赛道

三、二、一——
向着冬奥会，出发！

柄尾：结束区

在我"变身"的同时，还有很多老朋友也在悄悄换上"冰芯儿"呢!

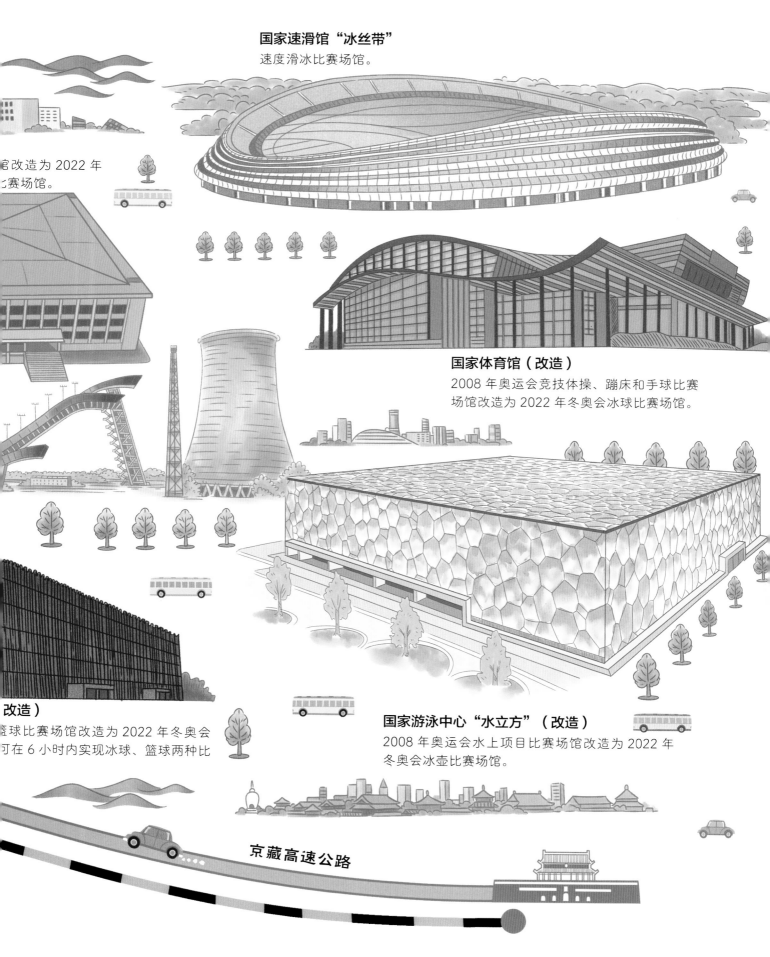

国家速滑馆"冰丝带"
速度滑冰比赛场馆。

馆改造为 2022 年
比赛场馆。

国家体育馆（改造）
2008 年奥运会竞技体操、蹦床和手球比赛
场馆改造为 2022 年冬奥会冰球比赛场馆。

改造）
篮球比赛场馆改造为 2022 年冬奥会
可在 6 小时内实现冰球、篮球两种比

国家游泳中心"水立方"（改造）
2008 年奥运会水上项目比赛场馆改造为 2022 年
冬奥会冰壶比赛场馆。

京藏高速公路

国家高山滑雪中心
高山滑雪比赛场馆。

首都体育馆（改造）
2008 年奥运会排球比赛场馆
冬奥会短道速滑和花样滑冰比赛场馆

首钢滑雪大跳台
自由式滑雪和单板滑雪比赛场馆。

【延庆赛区】

五棵松体育馆
2008 年奥运会
冰球比赛场馆，
赛模式的转换。

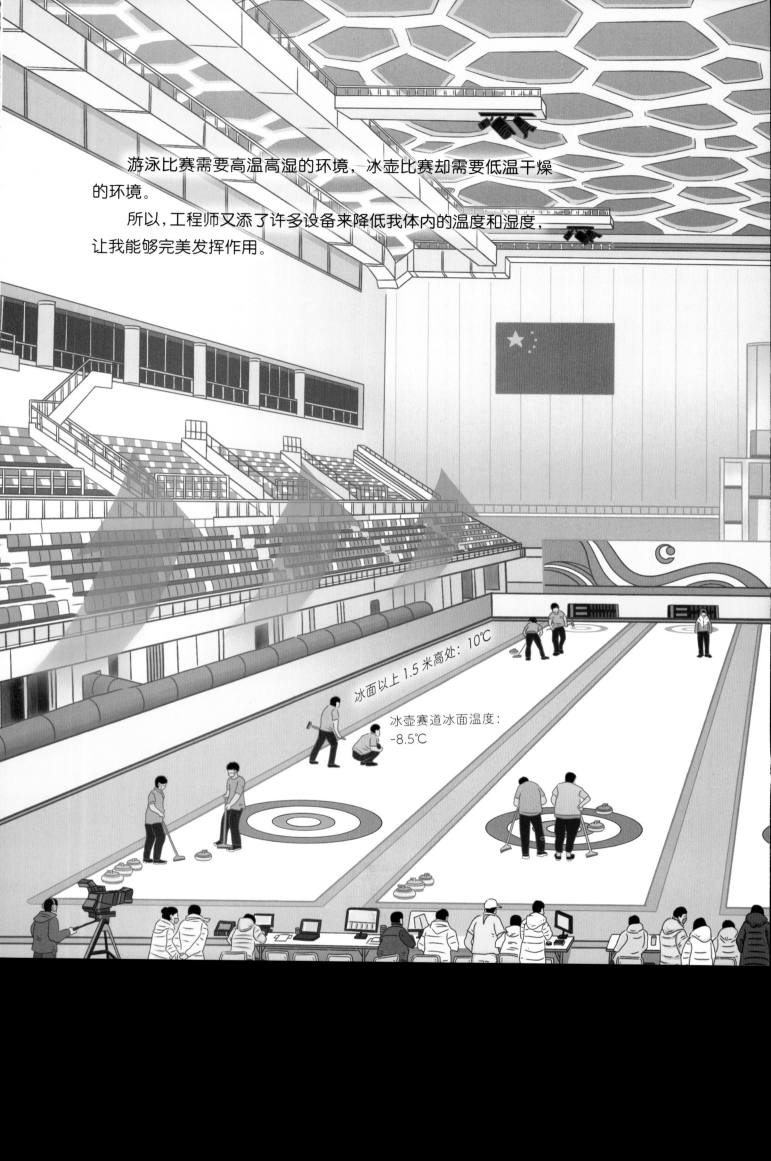

游泳比赛需要高温高湿的环境，冰壶比赛却需要低温干燥的环境。

所以，工程师又添了许多设备来降低我体内的温度和湿度，让我能够完美发挥作用。

冰面以上 1.5 米高处：10℃

冰壶赛道冰面温度：
-8.5℃

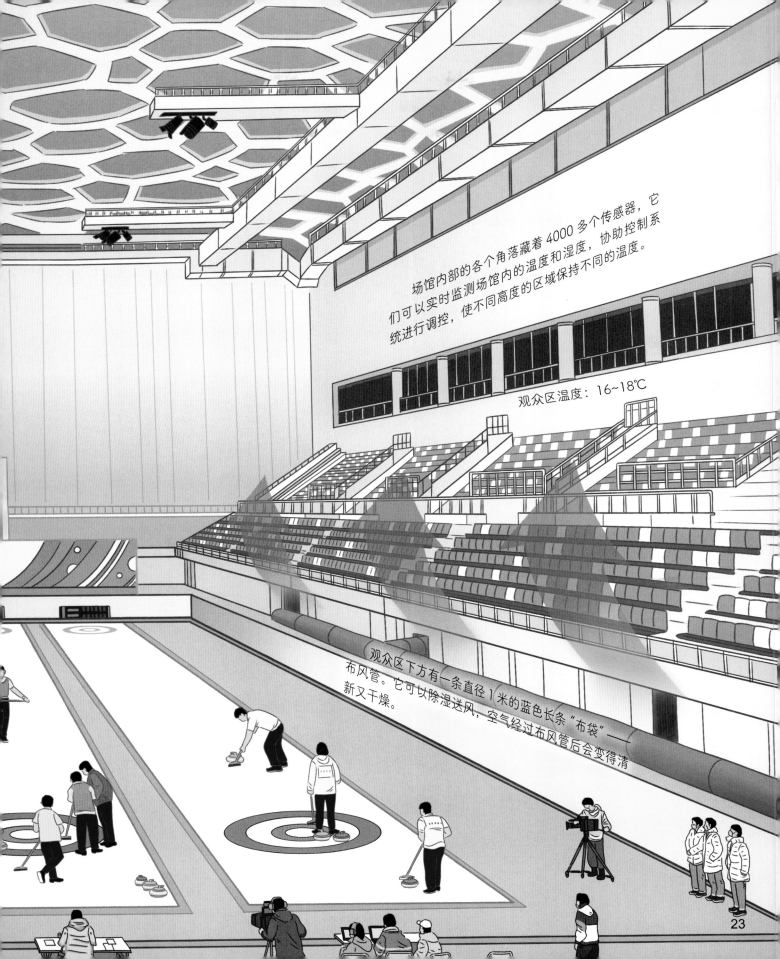

场馆内部的各个角落藏着 4000 多个传感器，它们可以实时监测场馆内的温度和湿度，协助控制系统进行调控，使不同高度的区域保持不同的温度。

观众区温度：16~18℃

观众区下方有一条直径 1 米的蓝色长条"布袋"——布风管。它可以除湿送风，空气经过布风管后会变得清新又干燥。

23

我的泡泡外衣也给冰壶比赛造成了困扰——阳光穿过我透明的外衣照到冰面上，会让"娇气"的冰面温度上升，发生细微的变化，进而影响比赛。

因此，建筑设计师打算在我的外衣下方设计一层不透光的 PVC 薄膜来遮挡阳光，就像给冰面撑开了一把大大的遮阳伞。等冰壶比赛场地变回泳池的时候，这层薄膜就可以"脱"掉了。

不能让阳光直射冰面，比赛时的照明就要完全靠灯光啦！

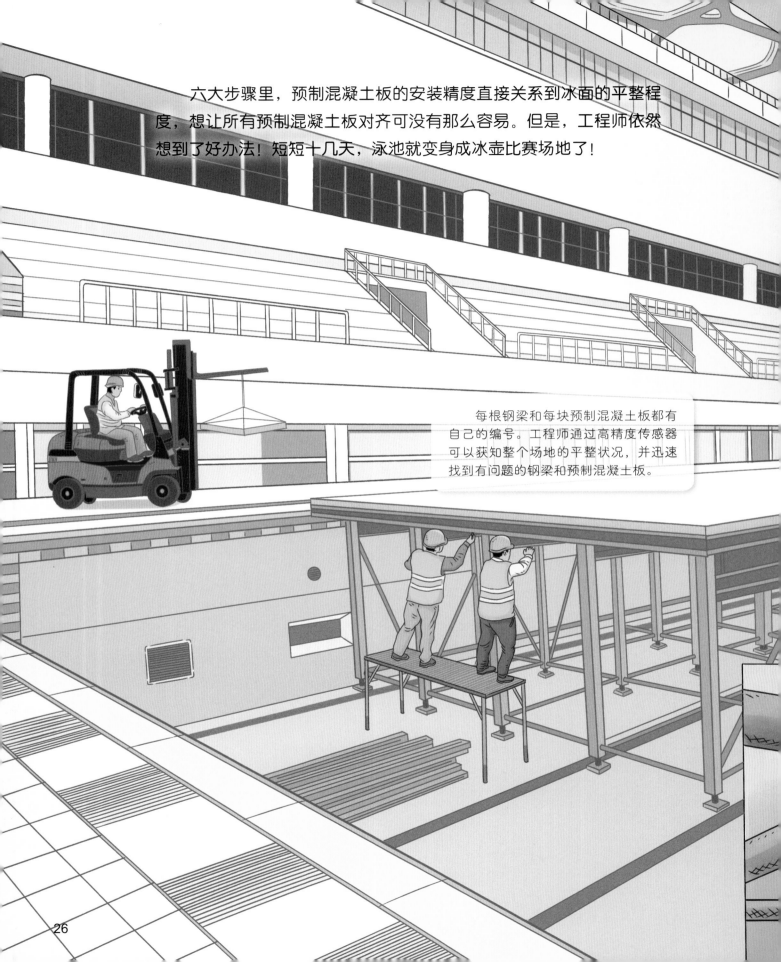

六大步骤里，预制混凝土板的安装精度直接关系到冰面的平整程度，想让所有预制混凝土板对齐可没有那么容易。但是，工程师依然想到了好办法！短短十几天，泳池就变身成冰壶比赛场地了！

每根钢梁和每块预制混凝土板都有自己的编号。工程师通过高精度传感器可以获知整个场地的平整状况，并迅速找到有问题的钢梁和预制混凝土板。

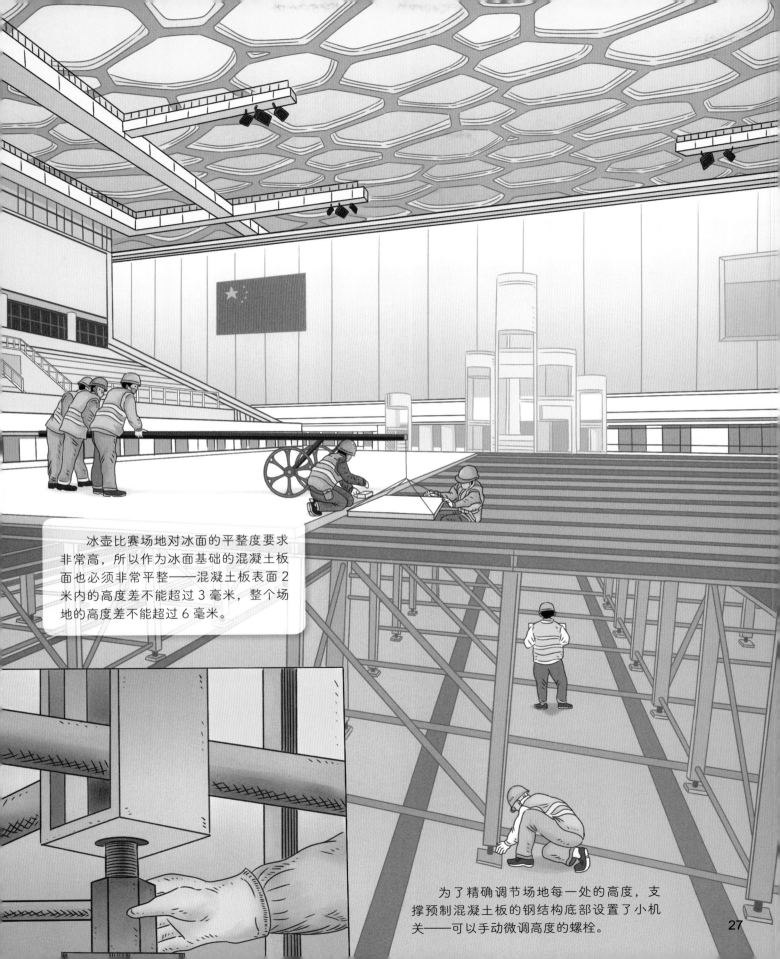

　　冰壶比赛场地对冰面的平整度要求非常高，所以作为冰面基础的混凝土板面也必须非常平整——混凝土板表面2米内的高度差不能超过3毫米，整个场地的高度差不能超过6毫米。

　　为了精确调节场地每一处的高度，支撑预制混凝土板的钢结构底部设置了小机关——可以手动微调高度的螺栓。

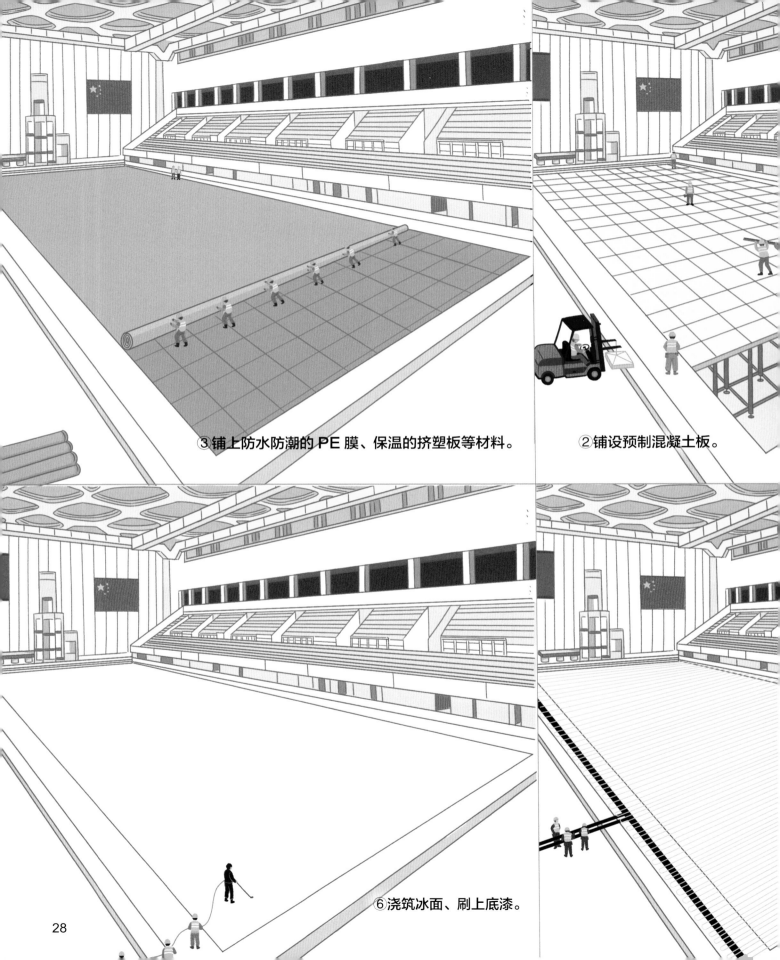

③铺上防水防潮的 PE 膜、保温的挤塑板等材料。

②铺设预制混凝土板。

⑥浇筑冰面、刷上底漆。

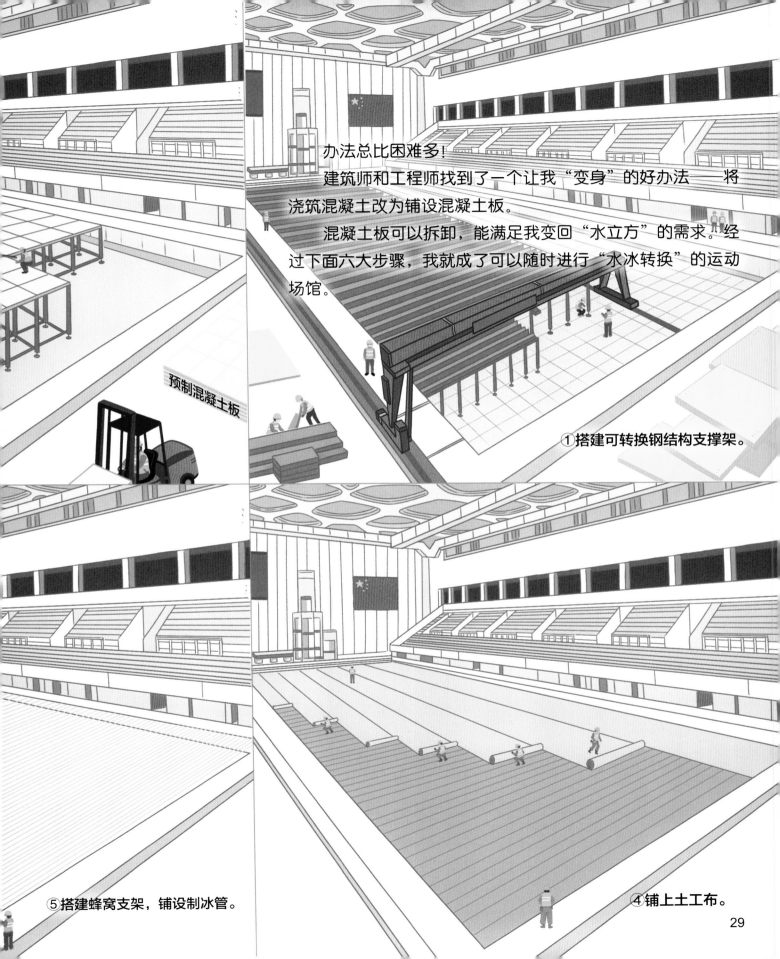

办法总比困难多！

建筑师和工程师找到了一个让我"变身"的好办法——将浇筑混凝土改为铺设混凝土板。

混凝土板可以拆卸，能满足我变回"水立方"的需求。经过下面六大步骤，我就成了可以随时进行"水冰转换"的运动场馆。

预制混凝土板

①搭建可转换钢结构支撑架。

⑤搭建蜂窝支架，铺设制冰管。

④铺上土工布。

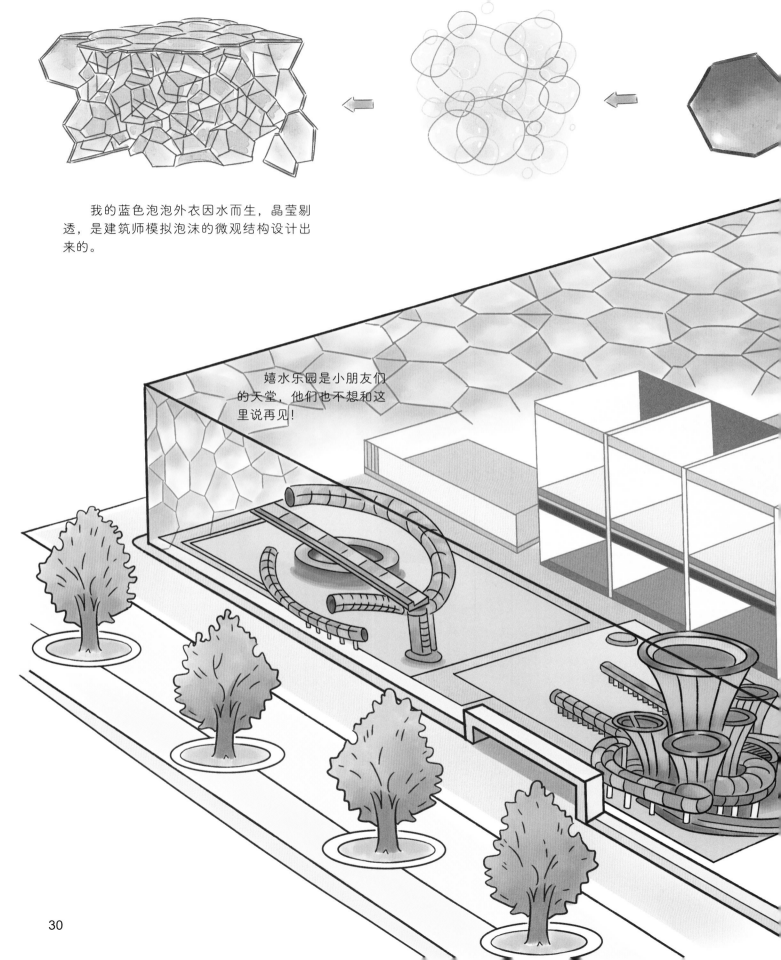

我的蓝色泡泡外衣因水而生，晶莹剔透，是建筑师模拟泡沫的微观结构设计出来的。

嬉水乐园是小朋友们的天堂，他们也不想和这里说再见！

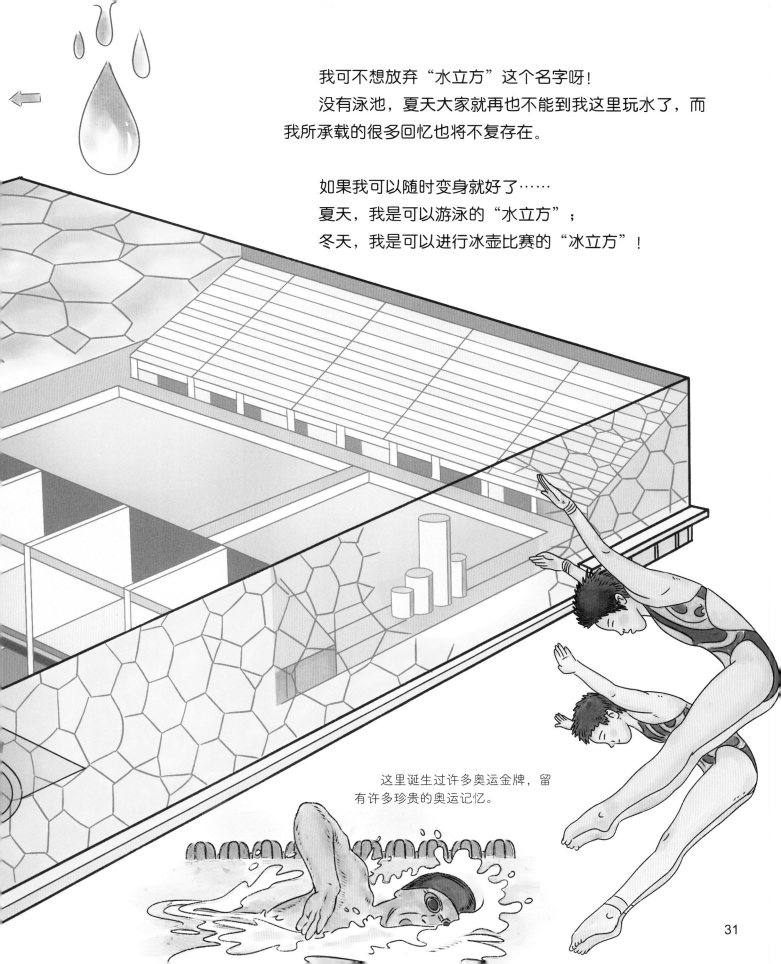

我可不想放弃"水立方"这个名字呀！

没有泳池，夏天大家就再也不能到我这里玩水了，而我所承载的很多回忆也将不复存在。

如果我可以随时变身就好了……

夏天，我是可以游泳的"水立方"；

冬天，我是可以进行冰壶比赛的"冰立方"！

这里诞生过许多奥运金牌，留有许多珍贵的奥运记忆。

直接把泳池中的水冻成冰？

这可不行。泳池的水很深，直接冻成冰会把泳池冻坏的。就算能够实现，冰面也会很不平整，导致冰壶的运动轨迹发生改变，无法满足比赛的需要。

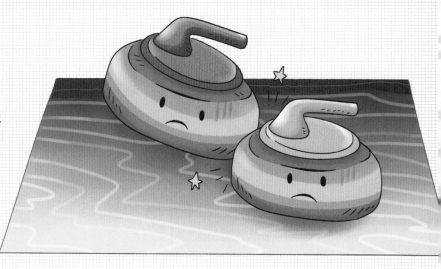

那如果往泳池内浇筑混凝土，把泳池变成平地呢？在平整的地面上制冰就容易多了。

但是这样的话，水立方的泳池就再也回不来了……

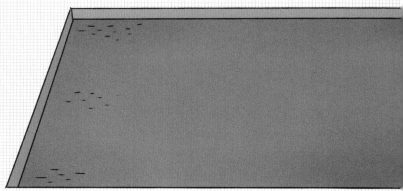

作为水上项目场馆的"水立方"有大大的水面，但是冰壶比赛需要的却是大大的冰面。在我入选之初，建筑设计师和工程师、制冰师就来考察过很多次，讨论如何把我冻成"冰立方"。

嗨，大家好！

我是国家游泳中心，大家都叫我"水立方"。

2008 年北京奥运会时，我是游泳、跳水、花样游泳等项目的比赛场馆。这次，我很荣幸地被选为 2022 年冬奥会冰壶项目的比赛场馆。为此，我要变身成"冰立方"！

冬奥场馆来了！

水立方，变身

郭雪婷◎著　王万丛◎绘

2022 年，第 24 届冬季奥林匹克运动会即将在北京举办。

冬奥会的比赛项目都要在冰雪上进行，曾经陪伴过我们的奥运场馆还能继续使用吗？

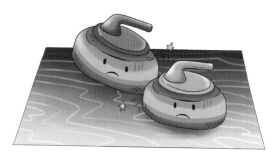

北京科学技术出版社

奥运建筑：一起向未来

这本书的结构很巧妙——从前往后，是 2022 年冬奥会新建场馆"冰丝带"的建设过程；从后往前，是"水立方"变身"冰立方"的改造过程。展示两座冬奥会场馆的书页最终汇合在一起，这样的阅读过程会让孩子发现建筑在奥运会的过去和现在之间、在人与自然之间、在科技与生活之间的内在联系。

作为城市的地标性建筑，奥运场馆承载着大家珍贵的记忆。奥运赛事虽然短暂，但记忆不是一次性的，建筑更不是。我们希望在举办赛事时，奥运场馆能光芒四射，也希望在赛事结束后，它们能被长久地使用。因此，可持续发展是奥运建筑设计的主要目标。

2022 年冬奥会北京赛区的 5 座冰上竞赛场馆中，有 4 座都是 2008 年奥运会使用过的场馆。这样的方案不是因为场馆"凑巧"合适，而是精心设计的结果。对现有场馆的再利用不仅节省人力和时间，更能节约资源、保护环境。例如，我们书中讲到的"水立方"改造成"冰立方"，就是创造性地采用了"水冰转换"的思路，通过转换结构代替直接浇筑混凝土，让场馆发挥更多功能。

作为唯一一座新建的冰上竞赛场馆，国家速滑馆"冰丝带"的建筑设计理念更是直接源自绿色节能的出发点：首先，集约的冰场空间可以控制建筑体积，实现节能运行；其次，采用高性能的结构体系可以节约建筑用材；最后，使用可再生能源可以降低温室气体的排放。低能耗，多功能，场馆自然能够长期运营，长久地为大家服务。

把可持续发展的理念融入建筑设计中，自然要依赖科学创新的力量——包括工程技术的进步、材料的进步和信息技术的进步等。例如，场馆中安装的各类先进传感器和数据传输系统可以实时监测室内环境、分析数据，最终实现高效精确地控制场馆运行。这样的楼宇设备管理系统大大降低了能耗，体现了可持续发展的理念。

读了这本书，孩子不仅可以了解建造奥运建筑的故事，更能感受到我们力求"打造值得传承、造福人民的冬奥遗产"背后的意义。让我们与自然、与科技、与历史，一起携手向未来。

北京 2022 年冬奥会国家速滑馆（冰丝带）
国家游泳中心冰壶赛场（冰立方）设计总负责人
郑　方

改造开工时间

2018 年 **12** 月 **26** 日

改造竣工时间

2021 年 **11** 月 **13** 日

冰壶赛场可容纳观众

约 **4600** 名

转换结构使用 H 型钢

2600 根

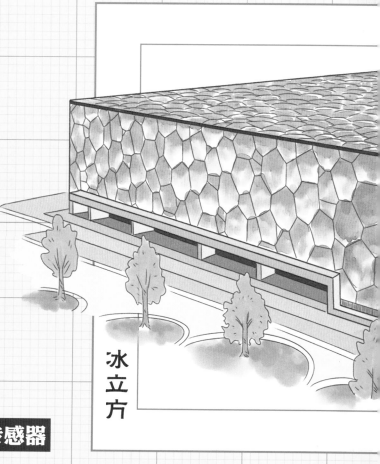

冰立方

轻质预制混凝土板

1570 块

混凝土板表面 2 米之内高差

小于 **3** 毫米；
全场高差小于 **6** 毫米

楼宇设备管理系统设置传感器

4000 多个

2022 年冬奥会
将在场馆内诞生金牌

3 枚

预计每年可接待
冰上运动爱好者

100000 人次以上